# Un Rêve à W

**Un Rêve à Washington D.C.**

# Chapitre 1: Un Rêve Lointain

Dakar, la vibrante capitale du Sénégal, était le monde d'Awa. Une élève de cinquième année, elle avait la peau d'ébène, des yeux brillants et un rire contagieux qui illuminait la pièce. Son monde était rempli des sons des marchés animés, de la mer bleue qui bordait la côte, et des histoires racontées par sa grand-mère sous le grand baobab près de leur maison.

Un jour, après l'école, Awa fouillait dans la bibliothèque de la classe lorsqu'elle tomba sur un livre de géographie. En le feuilletant, elle s'arrêta sur une page avec une photo brillante de Washington D.C. La grandeur du Capitole, le reflet du Mémorial Lincoln dans l'eau, les cerisiers en fleur entourant le bassin... c'était à couper le souffle.

"Washington D.C.," murmura-t-elle. Elle n'avait jamais vu un endroit si différent de Dakar.

Ce soir-là, à la maison, elle raconta à sa famille son rêve naissant de visiter cette ville lointaine. Sa mère sourit doucement et dit : "Les rêves sont le commencement de toutes grandes aventures, ma chérie."

Awa s'endormit cette nuit-là avec des visions de Washington D.C. dansant dans sa tête, espérant qu'un jour, elle pourrait marcher dans ses rues et voir toutes les merveilles qu'elle avait découvertes dans son livre de géographie. Et ainsi, un rêve lointain naquit dans le cœur de la jeune fille.

# Chapitre 2: La Carte Postale Mystérieuse

Un matin ensoleillé, alors qu'Awa aidait sa mère à trier le courrier, une carte postale particulière attira son attention. Elle était plus colorée que les autres, avec une photo éclatante de la Maison Blanche sous un ciel bleu pur. Awa sentit son cœur bondir dans sa poitrine. Elle retourna la carte pour en lire le message.

*"Chère Awa,*
*J'espère que cette carte te trouve bien. C'est moi, Lamine, ton cousin éloigné. Je suis à Washington D.C. pour mes études, et chaque fois que je passe devant la Maison Blanche, je pense à toi et à ton rêve de visiter cette ville. C'est encore plus beau en réalité que dans les livres! J'espère que tu pourras un jour venir ici et voir par toi-même.*
*Avec tout mon amour,*
*Lamine."*

Awa était ébahie. Elle savait que Lamine avait quitté le Sénégal pour étudier à l'étranger, mais elle ne réalisait pas qu'il était à Washington D.C.! La pensée que quelqu'un qu'elle connaissait marchait dans les rues de son rêve la rendait encore plus impatiente d'en apprendre davantage.

Elle passa le reste de la journée à poser des questions à sa mère sur Lamine et ses aventures à l'étranger. Le soir, elle chercha sur Internet des informations sur la Maison Blanche, absorbant chaque détail et imaginant Lamine dans ces lieux emblématiques.

La carte postale, placée fièrement sur sa table de nuit, était un rappel quotidien que son rêve pouvait devenir réalité. Elle représentait une connexion tangible avec cette ville lointaine et mystérieuse, renforçant la détermination d'Awa à en découvrir davantage.

# Chapitre 3: Les Merveilles de la Ville

Le soir venu, Awa s'allongea dans son lit, la carte postale de Lamine à ses côtés. Fermant les yeux, elle se laissa emporter par son imagination. Soudain, elle se trouva au milieu du National Mall, un vaste espace ouvert bordé d'arbres et de monuments imposants.

À sa gauche, elle aperçut le Mémorial Lincoln, majestueux et solennel. Elle s'approcha et toucha les colonnes en marbre, se sentant minuscule à côté de la statue gigantesque d'Abraham Lincoln. Les mots gravés sur les murs lui parlèrent d'espoir, de liberté et d'unité.

En continuant sa promenade, elle arriva devant les musées du Smithsonian. Elle s'émerveilla devant la variété des bâtiments, du Musée de l'Air et de l'Espace avec ses avions suspendus, au Musée d'Histoire Naturelle, où des dinosaures semblaient prendre vie. Chaque musée était une porte ouverte sur un nouveau monde d'apprentissage et de découverte.

Enfin, elle arriva à la Bibliothèque du Congrès. Le bâtiment lui-même était un chef-d'œuvre, mais à l'intérieur, c'était un véritable trésor. Elle parcourut les allées, entourée de milliers de livres, de manuscrits anciens et de cartes. La vastitude et la richesse du savoir conservé là lui coupèrent le souffle.

Au moment où le soleil commençait à se coucher sur sa vision de Washington D.C., Awa se retrouva à nouveau dans sa chambre à Dakar. Mais les merveilles qu'elle avait vues dans ses rêves restaient vivantes en elle, alimentant son désir d'explorer cette ville magique un jour.

# Chapitre 4: La Rencontre Inattendue

Dans la douceur de son rêve, alors qu'Awa se promenait le long du Potomac, elle aperçut une femme au teint d'ébène, avec des tresses élégantes qui lui rappelaient celles de ses tantes à Dakar. Intriguée, Awa s'approcha et la salua.

La femme répondit avec un large sourire, "Salam, petite sœur. Tu sembles loin de chez toi."

Awa rit doucement, "C'est un rêve, mais oui, je suis loin de Dakar."

"Je m'appelle Fatou," dit la femme, "et j'étais comme toi, rêvant de cette ville depuis le Sénégal. Maintenant, je vis ici."

Les deux se mirent à marcher côte à côte, et Fatou raconta comment elle s'était adaptée à la vie à Washington D.C. Elle parla des premiers jours de surprise devant les bâtiments imposants, du froid de l'hiver qu'elle n'avait jamais connu, et de l'émerveillement devant la diversité de la culture.

"Le Kennedy Center est mon endroit préféré," déclara-t-elle. "La musique, la danse, le théâtre... j'ai assisté à des spectacles du monde entier là-bas. Et le Cherry Blossom Festival! C'est une expérience magique. Quand les cerisiers fleurissent, la ville entière semble se transformer."

Awa écoutait avec admiration, absorbant chaque mot. Elle pouvait presque sentir l'excitation des festivals, voir les pétales roses flotter dans l'air et entendre les mélodies mélancoliques d'un violon au Kennedy Center.

Tandis que le rêve commençait à s'estomper, Awa serra la main de Fatou, reconnaissante pour ces aperçus précieux de la vie à Washington D.C. "Peut-être qu'un jour nos chemins se croiseront pour de vrai," murmura Awa.
Fatou sourit, "Je l'espère, petite sœur. Que tes rêves te guident toujour

# Chapitre 5: Les Sonorités de la Ville

Le rêve d'Awa continua de se dérouler,
emmenant ses sens dans un voyage à travers les
sonorités de Washington D.C. Elle se retrouva
d'abord à l'intérieur du Capitole des États-Unis, où
les échos des pas résonnaient sur le marbre froid.
Elle entendait les murmures feutrés des législateurs
dans les couloirs, entrecoupés par le chuchotement
des guides expliquant l'histoire du bâtiment aux
visiteurs fascinés.

Puis, elle fut transportée dans les rues animées de Georgetown. Les sons des klaxons, des rires et des conversations se mêlaient en une mélodie urbaine. Elle entendait les marchands appeler les clients dans leurs boutiques, les bruits lointains des musiciens de rue jouant des mélodies entraînantes, et le brouhaha des terrasses de café où les gens se retrouvaient pour discuter et partager. Awa se sentit enveloppée par les sons de la ville, chaque son racontant sa propre histoire. Il y avait le carillon doux des cloches d'église, le gazouillis des oiseaux dans les parcs, et le bruit apaisant de l'eau du Potomac qui clapotait doucement contre les quais.

Chaque sonorité était une invitation à découvrir davantage, à plonger plus profondément dans l'essence de Washington D.C. Et même si c'était un rêve, pour Awa, la symphonie de la ville était aussi réelle que les battements de son cœur.

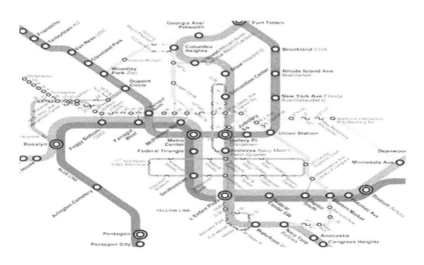

# Chapitre 6: Une Journée à la Maison Blanche

Dans ce nouveau tableau de son rêve, Awa se tenait devant les imposantes grilles de la Maison Blanche, tenant une invitation dorée entre ses mains. Étonnamment, elle était invitée à rencontrer le président des États-Unis.

À son entrée, elle fut émerveillée par les pièces élégantes et les portraits historiques. Chaque pas semblait la ramener à travers l'histoire américaine. Mais ce qui l'attendait était encore plus surprenant. Dans le Bureau Ovale, le président l'accueillit chaleureusement. "Awa, j'ai entendu parler de votre passion pour notre ville et j'ai voulu vous rencontrer", dit-il avec un sourire.

Awa, émue et un peu nerveuse, offrit au président un bracelet traditionnel sénégalais qu'elle avait toujours porté. Elle partagea avec lui des histoires de son pays, de ses traditions et de la richesse de sa culture.

En retour, le président lui fit découvrir certains secrets de la Maison Blanche, des endroits que peu de visiteurs avaient l'opportunité de voir. Ils discutèrent de l'importance de la diversité culturelle, du rôle des jeunes dans le façonnement de l'avenir, et des liens profonds qui unissent les personnes malgré les distances.

En quittant la Maison Blanche, Awa sentit une connexion renouvelée non seulement avec Washington D.C., mais aussi avec le vaste monde qui l'entourait. Elle réalisa que les rêves, aussi fantastiques soient-ils, peuvent inspirer la réalité, et que chaque rencontre est une chance d'apprendre et de grandir

# Chapitre 7: L'Amitié au-delà des Frontières

Alors que le soleil brillait haut dans le ciel de Washington, Awa se retrouva dans un parc verdoyant, éloigné du tumulte de la ville. Des enfants de tous âges y jouaient, leurs rires remplissant l'air d'une mélodie joyeuse.
Elle s'approcha d'un groupe d'enfants qui jouaient au football. Il y avait Diego, aux origines mexicaines, dont les yeux pétillaient à chaque passe réussie; Lily, une fille sino-américaine qui raconta à Awa comment elle adorait la danse classique chinoise; et

Jamal, un garçon afro-américain qui, malgré sa passion pour le jazz, rêvait de devenir astronaute. Ils invitèrent Awa à se joindre à eux. Tout en jouant, ils partageaient des bribes de leurs cultures, de leurs rêves et de leurs espoirs. Awa parla de la beauté des plages sénégalaises, des rythmes entraînants du sabar, et de son aspiration à devenir une enseignante influente dans sa communauté.

Au fil du jeu, ils se rendirent compte que, malgré leurs origines diverses, leurs rêves étaient étonnamment similaires. Chacun d'eux voulait réussir, faire une différence, et, surtout, être heureux.

La journée s'acheva par une danse improvisée. Diego fit résonner les rythmes latino, Lily montra quelques pas de danse traditionnelle chinoise, Jamal imita les grands musiciens de jazz avec ses mouvements fluides, et Awa les initia au rythme sénégalais. Le parc devint un melting-pot de cultures, où chaque enfant apportait une pièce unique à cette mosaïque d'amitié.

Awa réalisa que les frontières, qu'elles soient géographiques ou culturelles, pouvaient être facilement franchies avec une ouverture d'esprit et un cœur chaleureux. Elle se coucha cette nuit-là avec une certitude: partout dans le monde, malgré nos différences, les cœurs d'enfants battent au rythme des mêmes rêves.

# Chapitre 8: Le Retour

À l'aube, les premiers rayons du soleil effleurèrent les murs de sa chambre à Dakar, ramenant doucement Awa à la réalité. La chaleur familière de son lit, le doux chant des oiseaux sénégalais à l'extérieur, et le murmure lointain des vagues lui confirmèrent qu'elle était de retour chez elle.

Elle s'étira, les images et les sons de Washington D.C. encore frais dans son esprit. Ce n'était pas seulement une aventure dans un rêve, mais un voyage qui avait élargi les frontières de son imagination. Elle toucha le bracelet sénégalais à son poignet, le même qu'elle avait offert au président dans son rêve, et sourit à la richesse de cette expérience onirique.

Tout en prenant son petit déjeuner, elle raconta à sa famille son voyage fantastique, évoquant chaque détail avec enthousiasme. Sa mère écoutait avec un sourire, admirant la façon dont le monde intérieur d'Awa s'était enrichi, tandis que son petit frère écoutait avec émerveillement, espérant un jour vivre une aventure aussi captivante dans ses propres rêves.

Alors que la journée avançait, Awa, remplie d'inspiration, prit un cahier et commença à écrire, transformant son rêve en une histoire. Elle voulait que d'autres puissent ressentir cette même sensation d'émerveillement et de possibilité.

Loin d'être découragée par la distance ou les obstacles, Awa était désormais animée d'une certitude nouvelle. Elle savait que, même si elle ne voyageait jamais physiquement aussi loin, son esprit avait déjà franchi des océans. Les horizons de sa vie avaient été incommensurablement élargis, et elle était déterminée à chérir chaque souvenir, chaque leçon apprise, et à les utiliser comme des pierres de touche pour construire son futur.

# Chapitre 9: Une Surprise au Collège

Le lendemain matin, le collège était empli de l'habituel bourdonnement des élèves discutant et riant. Awa arriva en classe avec son rêve de Washington D.C. encore vivant dans son esprit, bien que repoussé à l'arrière-plan par la routine quotidienne.

La matinée semblait ordinaire jusqu'à ce que Mme Diouf, leur enseignante préférée, demande le silence et prenne la parole avec un sourire mystérieux. "J'ai une annonce très spéciale à faire," commença-t-elle. Les élèves se penchèrent en avant, leurs yeux fixés sur elle.

"Nous avons été sélectionnés pour un programme d'échange étudiant avec une école aux États-Unis!" La classe éclata en exclamations de surprise et d'excitation. Awa sentit son cœur battre plus fort. "Ce n'est pas n'importe quelle ville des États-Unis," continua Mme Diouf, "c'est avec une école de Washington D.C.!"

Awa était sans voix. Les chances semblaient si minces, et pourtant, le destin semblait jouer en sa faveur. La possibilité de réaliser son rêve n'était plus seulement une figment de son imagination - elle était réelle et à portée de main.

Les détails suivirent: comment ils seraient choisis, les préparatifs nécessaires, et les activités prévues. Awa écoutait chaque mot, résolue à saisir cette opportunité.

En rentrant chez elle ce jour-là, elle pensa à la postale mystérieuse, à son rêve et à cette incroyable coïncidence. Peut-être que l'univers avait une façon particulière de répondre à ceux qui rêvent grand.

# Epilogue:

Le soleil scintillait sur le bassin réfléchissant
tandis que le Washington Monument se dressait au-
dessus, son reflet parfaitement miroité dans l'eau.
Une brise vive faisait frémir les feuilles, emportant
avec elle le lointain carillon des cloches de la
Cathédrale Nationale. Parmi la foule de touristes et
de locaux, une Awa adulte et confiante marchait,
main dans la main, avec un jeune frère ou sœur,
leurs yeux remplis d'émerveillement.

Chaque pas qu'ils faisaient, chaque monument qu'ils approchaient, rappelait à Awa des souvenirs - des souvenirs d'un rêve qui semblait si lointain et qui s'était pourtant magnifiquement entremêlé avec sa réalité. Le National Mall, le mémorial Lincoln, les rues animées de Georgetown; chaque endroit était un témoignage d'un voyage qui avait commencé par un simple rêve dans une chambre à Dakar.

En arrivant devant la Maison Blanche, Awa s'accroupit à côté de son cadet, sa voix douce, "Tu sais, j'ai rêvé de cet endroit quand j'avais à peu près ton âge." Le plus jeune la regarda, les yeux écarquillés de curiosité. "Vraiment ? Et tu as réalisé ton rêve?"

Awa sourit, les yeux perdus dans le lointain mais remplis d'émotion, "Oui. Souviens-toi toujours que les rêves ont du pouvoir. Accroche-toi à eux, et tu ne sais jamais où ils pourraient te mener."
Le jour s'estompa en soirée, les lumières de la ville commençant à briller, mais pour Awa, cette lueur ne venait pas seulement de la ville. C'était la lueur des rêves réalisés, des frontières franchies, et d'une histoire qui continuerait à inspirer les générations à venir.

# English Version

## Chapter 1: A Distant Dream

Dakar, the vibrant capital of Senegal, was Awa's world. A 5th-grade student, she had ebony skin, bright eyes, and a contagious laugh that lit up the room. Her world was filled with the sounds of bustling markets, the blue sea that bordered the coast, and the stories told by her grandmother under the large baobab tree near their house.

One day, after school, Awa was rummaging through the class library when she came across a geography book. Flipping through it, she stopped on a page with a glossy photo of Washington D.C. The grandeur of the Capitol, the reflection of the Lincoln Memorial in the water, the cherry blossoms surrounding the basin... it was breathtaking. "Washington D.C.," she murmured. She had never seen a place so different from Dakar.

That evening at home, she told her family about her budding dream to visit this distant city. Her mother smiled softly and said, "Dreams are the beginning of all great adventures, my dear."

Awa fell asleep that night with visions of Washington D.C. dancing in her head, hoping that one day, she could walk its streets and see all the wonders she had discovered in her geography book. And so, a distant dream was born in the young girl's heart.

## Chapter 2: The Mysterious Postcard

On a sunny morning, as Awa helped her mother sort the mail, a particular postcard caught her eye. It was more colorful than the rest, with a vibrant photo of the White House under a clear blue sky. Awa felt her heart leap in her chest. She flipped the card over to read the message.

*"Dear Awa,*
*I hope this card finds you well. It's me, Lamine, your distant cousin. I am in Washington D.C. for my studies, and every time I pass by the White House, I think of you and your dream of visiting this city. It's even more beautiful in real life than in books! I hope you can come here one day and see for yourself.*
*With all my love,*
*Lamine."*

Awa was amazed. She knew that Lamine had left Senegal to study abroad, but she hadn't realized he was in Washington D.C.! The thought that someone she knew was walking the streets of her dream made her even more eager to learn more. She spent the rest of the day asking her mother questions about Lamine and his adventures abroad.

That evening, she searched the Internet for information about the White House, absorbing every detail and picturing Lamine at these iconic places.

The postcard, proudly placed on her bedside table, was a daily reminder that her dream could become reality. It represented a tangible connection to that distant and mysterious city, strengthening Awa's resolve to learn more about it.

## Chapter 3: The Wonders of the City

As evening approached, Awa lay down in her bed, with Lamine's postcard by her side. Closing her eyes, she let her imagination whisk her away. Suddenly, she found herself in the middle of the National Mall, a vast open space lined with trees and imposing monuments.

To her left, she spotted the Lincoln Memorial, majestic and solemn. She approached and touched the marble columns, feeling tiny next to the gigantic statue of Abraham Lincoln. The words inscribed on the walls spoke to her of hope, freedom, and unity. Continuing her walk, she arrived in front of the Smithsonian museums. She marveled at the variety of buildings, from the Air and Space Museum with its suspended planes, to the Museum of Natural History, where dinosaurs seemed to come alive. Each museum was a gateway to a new world of learning and discovery.

Finally, she reached the Library of Congress. The building itself was a masterpiece, but inside, it was a true treasure trove. She wandered the aisles, surrounded by thousands of books, ancient manuscripts, and maps. The vastness and wealth of knowledge preserved there took her breath away. As the sun began to set on her vision of Washington D.C., Awa found herself back in her room in Dakar. But the wonders she had seen in her dreams remained alive within her, fueling her desire to explore this magical city one day.

## Chapter 4: The Unexpected Encounter

In the softness of her dream, as Awa strolled along the Potomac, she spotted a woman with an ebony complexion, sporting elegant braids that reminded her of her aunts in Dakar. Intrigued, Awa approached and greeted her.

The woman replied with a broad smile, "Salam, little sister. You seem far from home."
Awa chuckled softly, "It's a dream, but yes, I'm far from Dakar."
"My name is Fatou," said the woman, "and I was once like you, dreaming of this city from Senegal. Now, I live here."

The two began walking side by side, and Fatou recounted how she had adjusted to life in Washington D.C. She spoke of her initial days of awe at the towering buildings, the unfamiliar cold of winter, and the wonder at the city's diverse culture. "The Kennedy Center is my favorite spot," she declared. "Music, dance, theater... I've seen performances from all over the world there. And the Cherry Blossom Festival! It's a magical experience. When the cherry trees bloom, the entire city seems to transform."

Awa listened with admiration, soaking in every word. She could almost feel the festival's excitement, see the pink petals drifting in the air, and hear the melancholic melodies of a violin at the Kennedy Center.

As the dream began to fade, Awa grasped Fatou's hand, grateful for these precious glimpses into life in Washington D.C.
"Perhaps one day our paths will cross for real," Awa whispered.
Fatou smiled, "I hope so, little sister. May your dreams always guide you."

## Chapter 5: The Sounds of the City

Awa's dream continued to unfold, taking her senses on a journey through the sounds of Washington D.C. She first found herself inside the U.S. Capitol, where echoes of footsteps resonated on the cold marble. She heard the soft murmurs of legislators in the hallways, punctuated by the whispered explanations of tour guides relaying the building's history to enthralled visitors.

Then, she was transported to the bustling streets of Georgetown. The sounds of car horns, laughter, and conversations blended into an urban melody. She heard shopkeepers calling out to customers, distant tunes from street musicians playing catchy melodies, and the lively chatter from café terraces where people gathered to chat and share.

Awa felt enveloped by the sounds of the city, with each noise telling its own story. There was the gentle chime of church bells, the chirping of birds in the parks, and the soothing sound of the Potomac's water gently lapping against the docks.

Each sound was an invitation to discover more, to delve deeper into the essence of Washington D.C. And even though it was a dream, for Awa, the city's symphony was as real as the beating of her heart.

# Chapter 6: A Day at the White House

In this new tableau of her dream, Awa stood in front of the imposing gates of the White House, holding a golden invitation in her hands. Astonishingly, she was invited to meet the President of the United States.

As she entered, she was awed by the elegant rooms and historical portraits. Each step seemed to take her back through American history. But what awaited her was even more surprising.

In the Oval Office, the President greeted her warmly. "Awa, I've heard about your passion for our city and wanted to meet you," he said with a smile. Moved and a bit nervous, Awa offered the President a traditional Senegalese bracelet she had always worn. She shared stories of her homeland, its traditions, and the richness of its culture.

In return, the President showed her some White House secrets, places few visitors had the opportunity to see. They discussed the importance of cultural diversity, the role of youth in shaping the future, and the deep ties that bind people regardless of distances.

Leaving the White House, Awa felt a renewed connection not only with Washington D.C., but also with the vast world around her. She realized that dreams, no matter how fantastical, can inspire reality, and that every encounter is an opportunity to learn and grow.

## Chapter 7: Friendship Beyond Borders

As the sun shone high in the Washington sky, Awa found herself in a lush park, away from the city's hustle and bustle. Children of all ages played there, their laughter filling the air with a joyful melody.

She approached a group of kids playing soccer. There was Diego, of Mexican descent, whose eyes sparkled with every successful pass; Lily, a Chinese American girl who told Awa about her love for traditional Chinese dance; and Jamal, an African-American boy who, despite his passion for jazz, dreamt of becoming an astronaut.

They invited Awa to join them. As they played, they shared snippets of their cultures, dreams, and hopes. Awa spoke of the beauty of Senegalese beaches, the captivating rhythms of sabar, and her aspiration to become an influential teacher in her community.

As the game progressed, they realized that despite their varied backgrounds, their dreams were strikingly similar. Each one wanted to succeed, make a difference, and above all, be happy.

The day culminated in an impromptu dance. Diego brought out Latin rhythms, Lily showcased some traditional Chinese dance steps, Jamal mimicked the great jazz musicians with his fluid movements, and Awa introduced them to Senegalese rhythm. The park became a melting pot of cultures, where each child brought a unique piece to this mosaic of friendship.

Awa realized that borders, whether geographical or cultural, could be easily crossed with an open mind and a warm heart. She went to sleep that night with one certainty: all around the world, despite our differences, children's hearts beat in sync with the same dreams.

## Chapter 8: The Return

At dawn, the first rays of the sun gently brushed the walls of her room in Dakar, slowly bringing Awa back to reality. The familiar warmth of her bed, the gentle song of Senegalese birds outside, and the distant murmur of waves confirmed that she was back home.

She stretched, the images and sounds of Washington D.C. still vivid in her mind. It wasn't just an adventure in a dream, but a journey that had expanded the borders of her imagination. She touched the Senegalese bracelet on her wrist, the same one she had offered the president in her dream and smiled at the richness of this dreamy experience.

While having breakfast, she recounted her fantastic journey to her family, speaking of every detail with enthusiasm. Her mother listened with a smile, admiring how Awa's inner world had become richer, while her younger brother listened in awe, hoping one day to experience such a captivating adventure in his own dreams.

As the day progressed, Awa, filled with inspiration, grabbed a notebook and began to write, turning her dream into a story. She wanted others to feel that same sense of wonder and possibility.

## Chapter 9: A Surprise at School

The next morning, the school was filled with the usual hum of students chatting and laughing. Awa arrived in class with her dream of Washington D.C. still alive in her mind, though pushed to the background by the daily routine.

The morning seemed ordinary until Mrs. Diouf, their favorite teacher, called for silence and spoke with a mysterious smile. "I have a very special announcement to make," she began. The students leaned forward, their eyes fixed on her.

"We have been selected for a student exchange program with a school in the U.S.!" The class burst into exclamations of surprise and excitement. Awa felt her heart race. "It's not just any city in the U.S.," Mrs. Diouf continued, "it's with a school in Washington D.C.!"

Awa was speechless. The odds seemed so slim, yet fate appeared to be working in her favor. The possibility of making her dream come true was no longer just a figment of her imagination - it was real and within reach.

Details followed: how they would be chosen, the necessary preparations, and the planned activities. Awa hung on to every word, determined to seize this opportunity.

Heading home that day, she thought of the mysterious postcard, her dream, and this incredible coincidence. Perhaps the universe had a unique way of answering those who dream big.

# Epilogue

The sun glistened off the reflective pool as the Washington Monument towered above, its reflection perfectly mirrored in the water. A brisk breeze fluttered the leaves, carrying with it the distant chime of bells from the National Cathedral. Among the throngs of tourists and locals alike, a confident, grown-up Awa walked, hand-in-hand, with a younger sibling, their eyes filled with awe and wonder.

Every step they took, every landmark they approached, brought back memories for Awa - memories of a dream that once felt so distant yet had now beautifully intertwined with her reality.

The National Mall, the Lincoln Memorial, the bustling streets of Georgetown; each place was a testament to a journey that began with a single dream in a bedroom in Dakar.

As they approached the White House, Awa knelt down next to her younger sibling, her voice soft, "You know, I dreamt of this place when I was about your age." The younger one looked up, eyes wide with curiosity. "Really? And you made it come true?"

Awa smiled, her eyes distant yet filled with emotion, "Yes. Always remember that dreams have power. Hold onto them, and you never know where they might take you."

The day faded into evening, the city's lights starting to shine, but for Awa, the glow was not just from the city. It was the glow of dreams realized, of boundaries crossed, and of a story that would continue to inspire generations to come.

Milton Keynes UK
Ingram Content Group UK Ltd.
UKHW010728241123
433194UK00001B/162